EMILE ZO[illegible]

photographer

Local scenes photographed in
NORWOOD,
SOUTH LONDON
by the eminent French novelist
during his exile,
1898 – 1899

Printed, 1997. ISBN 0-95-153843-8

Imprimé, 1997 ISBN 0-95-153843-8

Published by the Norwood Society in conjunction with the London Borough of Croydon (UK) and the Association du Musée Emile Zola (France)

Publié par la Norwood Society conjointement avec la Municipalité de Croydon (Londres, UK) et l'Association du Musée Emile Zola (France)

PREFACE

Emile Zola, sentenced to imprisonment for defending Alfred Dreyfus,
opts for exile and stays in England from July 19, 1898 to June 4, 1899.
After arriving in London, where he stays for a few days,
he resides in Weybridge, Surrey, until mid-October,
he returns to London and remains at the Queens Hotel
in Upper Norwood near Crystal Palace, until his return to France.

Loneliness and exile weigh heavily upon him.
He takes refuge in work, devoting his entire mornings
to writing his novel *Fruitfulness*.

To pass the time he also goes in for photography,
an art he has taken up with great enjoyment several years before.

With his equipment, sent from France at his request,
he takes some shots of the various places he inhabits
together with the neighbourhood areas;
the landscapes of Greater London,
then Crystal Palace and its surroundings,
street scenes, pedestrians, cyclists and carriages.
All the swarming life of the city.

Zola, the photographer,
with the same depth and the same eagerness for truth
as the author of the *Rougon-Macquart*,
becomes the reporter of working life in London,
celebrating its nobility
in photographs bubbling with life.

Martine Le Blond-Zola

PREFACE

Emile Zola, condamné à la prison pour avoir défendu Alfred Dreyfus,
choisit l'exil et vit en Angleterre du 19 juillet 1898 au 4 juin 1899.
Après avoir passé quelques jours à Londres dès son arrivée,
il séjourne à Weybridge, dans le Surrey, jusqu'au milieu d'octobre,
gagne Londres et demeure au Queens Hotel à Upper Norwood
près du Crystal Palace, jusqu'à son retour en France.

L'exil, la solitude lui pèsent.
Il se réfugie dans le travail et écrit son roman Fécondité
auquel il consacre ses matinées.

Pour distraction aussi, il s'adonne à la photographie
qu'il pratique depuis plusieurs années avec un réel bonheur.

Muni de ses appareils qu'il a fait venir de France,
il photogaphie les lieux qu'il habite successivement et leurs environs,
les paysages de la banlieue londonienne,
puis à Londres, Crystal Palace et ses alentours,
les scènes de la rue, avec ses passants, ses cyclistes et ses équipages,
toute la vie grouillante de la cité.

Zola, le photographe,
avec le même regard et la même recherche de la vérité
que l'auteur des Rougon-Macquart,
se fait le reporter du quotidien londonien,
chante la noblesse du travail
en des images frémissantes de vie et de mouvements.

Martine Le Blond-Zola

EMILE ZOLA

Emile Zola was born in Paris in 1840. The son of a Venetian father and a French mother, he was brought up in Aix-en-Provence where he became friends with Paul Cézanne.

His father, who died when Emile was seven years old, left the family with very little money, although the young Zola had a good school career. He moved back to Paris in 1858, where after a period of extreme poverty, he joined the publishing firm of Hachette; during his employment from 1862 to 1866 he worked on his collection of short stories 'Les Contes à Ninon' and in 1865 published his first full length novel 'La Confession de Claude'.

From then on he was able to support himself by writing literary and art criticisms and novels, and made his name when 'Thérèse Raquin' was published in 1868. The first volume of Zola's Rougon-Macquart series in which he sought to illustrate the influence of heredity and environment on a family in the Second Empire was published in 1871; but the work which brought him wealth and fame was the novel 'L'Assommoir', a study of alcoholism in the working classes, published in 1877.

In 1888 he went to Royan for six weeks' holiday, and there Victor Billaud introduced him to the art of photography – it became a lifelong passion.

On his first visit to London in 1893 as a guest of the Institute of Journalists Zola dined at the Crystal Palace where his name and profile were displayed in fireworks.

In 1897 Zola took up the cause of a Jewish French army officer, Alfred Dreyfus, who had been publicly degraded and given life imprisonment on Devil's Island for alleged treason.

Dreyfus became a symbol around which the contending forces of pro- and anti-Dreyfusards waged a fierce ideological and political battle. On January 13th 1898 Zola came to the defence of Captain Dreyfus by publishing in L'Aurore the now famous letter 'J'accuse', pointing out the irregularities of the trial and making counter charges against the authorities. He was forced to avoid retribution in France by escaping to England and, after short stays in Wimbledon and Weybridge, he settled on October 15th 1898 at the Queen's Hotel in Upper Norwood, where he remained until the case was reopened prompting his return to France.

During his second stay he took over a hundred photographs of the locality, showing remarkable insight into the every day life of a developing suburb. Most of these photographs are the subject of this book, and their captions are designed so that today's visitor to Norwood can identify past pictures with the present scene.

EMILE ZOLA

Emile Zola naquit à Paris en 1840. Fils d'un père vénitien et d'une mère française, il grandit à Aix-en-Provence où il devint l'ami de Paul Cézanne.

Emile n'avait que 7 ans quand son père mourut, laissant sa famille dans le besoin mais le jeune Zola eut une bonne scolarité. En 1858, il retourna à Paris et, après une courte période d'extrême pauvreté, il fut employé par la maison d'édition Hachette où il travailla entre 1862 et 1866. Pendant ce temps il rédigea 'Les Contes à Ninon' (1865) et l'année suivante publia son premier roman, 'La Confession de Claude'.

A partir de cette époque, il fut capable de subvenir à ses besoins en publiant des critiques artistiques et littéraires, ainsi que des romans et connut son premier succès avec la publication de 'Thérèse Raquin' en 1868. Le premier volume de la série des Rougon-Macquart dans laquelle il projetait de démontrer l'influence de l'hérédité et de l'environnement sur une famille du Second Empire, sortit en 1871; cependant, l'oeuvre qui le couvrit réellement de gloire et de richesses fut 'L'Assommoir', une étude sur l'alcoolisme dans les classes ouvrières, qu'il publia en 1877.

En 1888, il prit six semaines de congés à Royan où Victor Billaud l'introduisit à la photographie qui devint alors la passion de toute sa vie.

Lors de sa première visite à Londres en 1893, à l'invitation de l'Institut des Journalistes, Zola dîna au Crystal Palace où les feux d'artifice affichaient très haut son nom et son portrait dans le ciel londonien.

En 1897, Zola prit la défense d'un officier juif de l'armée française, Alfred Dreyfus, qui avait été publiquement dégradé pour haute trahison et emprisonné sur l'Ile du Diable à perpétuité. Dreyfus devint un symbole autour duquel les forces opposées, les pro-dreyfusards et les anti-dreyfusards, menèrent une rude bataille idéologique et politique. Le 13 janvier 1898 Zola publia alors dans L'Aurore la fameuse lettre 'J'accuse', en faveur du Capitaine Dreyfus, dans laquelle il soulignait les irrégularités du jugement et accusait les autorités. Comdamné pour diffamation devant la cour d'assises de la Seine à un an de prison, Zola, afin d'éviter les représailles, quitta la France et se réfugia en Angleterre. Après un bref séjour à Wimbledon puis à Weybridge, il s'installa au Queen's Hotel, Upper Norwood, le 15 octobre 1898 où il demeura jusqu'à la réouverture du jugement et son retour en France.

Pendant son second séjour, il tira plus d'une centaine de photos de la région, qui montrent la remarquable lucidité du coup d'oeil qu'il jetait à la vie quotidienne d'une banlieue en expansion. La plupart de ces photos font l'objet de ce livre et leurs sous-titres permettront aux visiteurs de Norwood d'aujourd'hui de rapprocher les reproductions passées et les lieux actuels.

The Queen's Hotel in Church Road, Upper Norwood, where Emile Zola stayed from 1898 to 1899. The hotel was opened in 1854 with additions in 1857 to serve the needs of visitors to Crystal Palace. The original design was by Francis Puget for a 'Royal Hotel' but this was much reduced in size for what eventually became the Queen's Hotel which has attracted many famous visitors besides Zola; other notable guests, to name but a few, include Florence Nightingale, Kaiser Wilhelm, the German Crown Prince Frederick and King Faisel.

Le Queen's Hotel, Church Road, Upper Norwood, où Emile Zola résida entre 1898 et 1899. Il fut ouvert en 1854, puis agrandi afin de répondre aux besoins des visiteurs de Crystal Palace. A l'origine, les plans de Francis Puget furent conçus pour un 'Royal Hotel' cependant ses dimensions furent largement réduites pour ce qui allait éventuellement devenir le Queen's Hotel et attirer de nombreux visiteurs de renom mis à part Zola, Florence Nightingale, le Kaiser Wilhelm, le Prince héritier allemand, Frédéric Guillaume, et le Roi Fayçal.

Part of the ornamental garden to the rear of the Queen's Hotel. In those days these were extensive and well landscaped. The picture of the chickens and donkey is believed to have been photographed in another part of the hotel grounds.

Cette partie des jardins d'agrément à l'anglaise, à l'arrière du Queen's, étaient à cette époque très grands et bien entretenus. La photo des poulets et de l'âne a sans doute été prise dans une autre partie des jardins.

Houses opposite the Queen's Hotel as seen from rooms occupied by Zola. The upper photograph is one of a pair of 'mirror image' houses which survive.

In the lower photograph, the tall house on the left still stands.

Maisons situées en face du Queen's Hotel, vues des pièces occupées par Zola. La Photo du haut: l'une des deux maisons dont l'une est le miroir de l'autre et qui existent toujours.

Dans la photo du bas la plus haute maison a survécu, elle aussi.

EVERARD
CABLE
CONSTRUCTION
BASS & Co
BURTON ALES

These four photographs show cable laying taking place along Church Road. The company involved was 'The Crystal Palace District Electric Supply Company'. Most of this end of Church Road remains unchanged.

The lower picture on the left shows the junction with Westow Street and the White Hart Hotel.

Ces quatre photos illustrent la pose de câbles le long de Church Road par la compagnie 'Crystal Palace District Electric Supply Company'. Presque toute la fin de Church Road demeure inchangée.

La photo du bas sur la gauche représente le carrefour de Westow Street et le White Hart Hotel.

The White Hart Hotel situated on the corner of Church Road and Westow Street. The building was designed by Sextus Dyball and replaced an original low weather-boarded inn. The architect was responsible for several of Upper Norwood's most eclectic buildings, two of which have been listed as of national interest. The only part left of the original White Hart is shown in the third photograph. It is still standing in June 1997, having been saved from demolition in the early 1990's through the efforts of the Norwood Society.

Le White Hart Hôtel, situé à l'angle de Church Road et de Westow Street, sur l'emplacement d'une auberge ancienne, basse et ornée de planches de recouvrement. Il fut construit par l'architecte Sextus Dyball, également l'auteur de plusieurs bâtiments parmi les plus éclectiques d'Upper Norwood, dont deux d'entre eux sont classés.
La photo no. 3 représente la seule partie du White Hart original qui ait survécu aux démolitions des années 1990, grâce aux efforts de la Norwood Society, et existe encore en juin 1997.

CITY OF LONDON
FINE ALES
WHITE
HOTEL

EVANS & WILLIAMS
COSTUMES
EVANS & WILLIAMS
BILL POSTER

Shops in Church Road. This end of Church Road, together with Westow Hill and Westow Street, form the 'village' area which is popularly known as 'The Triangle'.

Les magasins de Church Road. Ce bout de Church Road forme avec Westow Hill et Westow Street le 'village' connu sous le nom populaire de 'Le Triangle'.

A stroll down Church Road in the early summer of 1899. The outbuildings of Norbury Lodge in the fourth photograph were then part of a private house, later a hotel, but then demolished and replaced by a small modern housing estate. The site of the outbuilding is now an open space on the corner of Fox Hill.

Une promenade dans Church Road au début de l'été 1899. L'extrémité des bâtiments de Norbury Lodge (photo no. 4) faisait alors partie d'une maison privée, puis d'un hôtel, ensuite démoli et remplacé par un petit lotissement moderne. A l'emplacement du dernier bâtiment se trouve aujourd'hui un espace vide, à l'angle de Fox Hill.

St. Aubyn's Congregational Church in Church Road. Built in 1857, as an Episcopalian Chapel, it was bought by the London Congregational Church in 1864. It was then demolished in 1980.

L'Eglise congrégationaliste de St Aubyn, dans Church Road. Construite en 1857, comme chapelle épiscopale, et achetée en 1864 par l'Eglise congrégationaliste de Londres, elle fut finalement démolie en 1980.

View of the junction of Church Road and Anerley Hill as seen from Westow Hill. The picture on the right below, shows the Royal Crystal Palace Hotel on the corner of Church Road and Anerley Hill. Most of this building has now been demolished following bomb damage in the Second World War, but part of the façade on the right remains with small shops at ground floor level. The picture above right also shows the Royal Crystal Palace Hotel, built in 1853, for the opening of Crystal Palace. This building together with the South tower of Crystal Palace on the extreme left of the picture is in the Borough of Bromley, formerly Battersea Detached. The Cambridge Hotel is in the Borough of Croydon and the lamp-post in the foreground is in the Borough of Lambeth.

Vues du carrefour de Church Road et d'Anerley Hill, depuis Westow Hill. La photo en bas à droite représente le Royal Crystal Palace Hotel, au coin de Church Road et d'Anerley Hill. La majeure partie de ce bâtiment est aujourd'hui démolie suite aux dégâts causés par les bombardements de la Deuxième guerre mondiale. Cependant, une partie de la façade, sur la droite, demeure encore avec quelques magasins au rez-de-chaussée. La photo en à droite haut montre également le Royal Crystal Palace Hotel, construit en 1853, lors de l'ouverture de Crystal Palace. Ce bâtiment ainsi que la Tour Sud du Palais, à l'extrême gauche de la photo, sont aujourd'hui situés sur la commune de Bromley, terrain autrefois rattaché à Battersea. Le Cambridge Hotel est sur celle de Croydon et le lampadaire, au premier plan, sur Lambeth.

FAM
CAMBRID
NEVADA

FAMILY
HOTEL

The Cambridge Hotel on the corner of Church Road and Westow Hill was built together with all the other adjoining buildings on the site of the former Infant Poor House (Aubyn's School) later becoming the London Central District School which accommodated 1000 pauper children from all over London.

The White Swan Hotel on the corner of Westow Hill and Crystal Palace Parade is within the boundary of Lambeth. The top floor was demolished after severe damage during the Second World War. On the extreme right is a glimpse of Crystal Palace High Level Railway Station.

The Hollybush Hotel situated on the corner of Westow Hill and Westow Street lies in the Borough of Croydon.

Le Cambridge Hotel à l'angle de Church Road et de Westow Hill, ainsi que tous les bâtiments adjacents ont été, construits sur l'emplacement de l'ancienne Maison des enfants pauvres (Aubyn's School) qui devint ensuite l'Ecole centrale de Londres où quelques mille enfants du grand Londres, dans le besoin, furent accueillis.

Le White Swan Hotel, au carrefour de Westow Hill et de Crystal Palace Parade, est sur la commune de Lambeth. L'étage supérieur du bâtiment fut démoli à la suite des sérieux dégâts causés par la Deuxième guerre mondiale. A l'extrême droite, un aperçu de la gare, la Crystal Palace High Level Railway Station.

Au carrefour de Westow Hill et de Westow Street, le Hollybush Hotel, fait partie de la commune de Croydon.

WHITE SWAN

THE HOLLY BUSH HOTEL
WESTOW HILL
WESTOW STREET
HOLLY BUSH
Thomas Tooke Holt

CUFFLIN
67
67

Shops in Westow Hill. The large building in the foreground of the top photograph is a Bank built on the site of a former Dairy where Camille Pissarro lodged in 1871–2. A blue plaque commemorates his stay. Although the buildings themselves remain, the canopies of glass and cast iron in the lower photograph have now gone. These shops are in the Borough of Lambeth but Blundell's is on the Croydon side, at the junction with St. Aubyn's Road.

Les magazins de Westow Hill. Le grand bâtiment, au premier plan (photo du haut) est une banque, construite sur l'emplacement d'une ancienne crèmerie où Camille Pissarro habita entre 1871 et 1872. Une plaque commémorative bleue rappelle aujourd'hui son passage. Bien que les bâtiments aient survécu, les chapiteaux de verre et de fer forgé (cf photo du bas) n'existent plus. Ces magasins sont situés sur la commune de Lambeth, sauf Blundell's qui est sur celle de Croydon, au carrefour de St Aubyn's Road.

Westow Hill from the corner of Westow Street and looking towards Crystal Palace. The church in the background is the original Upper Norwood Wesleyan Methodist Church, built in 1874, which was replaced in 1964 by a smaller Methodist church situated behind a supermarket.

Westow Hill à l'angle de Westow Street, direction Crystal Palace. L'église à l'arrière plan est l'Eglise méthodiste weysleyienne originale de Norwood, construite en 1874 puis remplacée en 1964 par une plus petite église méthodiste localisée derrière un supermarché.

The South Tower of Crystal Palace could be clearly seen from Westow Hill. Both the north and south towers were built by Isambard Kingdom Brunel to carry the tanks for the head of water required to feed the spectacular fountains in the Palace grounds. These replaced earlier towers designed by Sir Joseph Paxton which were unable to carry the weight of the water.

La tour Sud de Crystal Palace pouvait clairement être aperçue de Westow Hill. Les deux tours Nord et Sud furent construites par Isambard Kingdom Brunel pour transporter les réservoirs d'eau nécessaires aux têtes des spectaculaires fontaines situées dans les jardins du Palais. Elles remplaçaient les tours de Sir Joseph Paxton, qui ne pouvaient pas supporter le poids de l'eau.

These three photographs were all taken in the early summer of 1899. The high class grocer's and wine merchant's shop, Williamson's, survived two world wars before finally closing its doors. The pillars on the left denote the entrance to the Wesleyan Methodist churchyard. The building beyond the churchyard is the former Queen's Arms Public House where Queen Victoria once stopped for a glass of water. This is currently called 'The Orange Kipper'.

Ces trois photos furent prises au début de l'été 1899. Le commerce de luxe, épicerie et négoce de vin, Williamson, a survécu aux deux guerres mondiales avant de fermer ses portes. Les piliers sur la gauche rappellent l'entrée du cimetière méthodiste wesleyien. Au-delà, c'est le bâtiment de l'ancien Queen's Arms, le café où la Reine Victoria s'était un jour arrêtée pour boire un verre d'eau. C'est aujourd'hui l 'Orange Kipper'.

Summer scene in Westow Hill. *Scène estivale dans Westow Hill.*

SPURGIN'S
MEAT SUPPLY.
J. CHITTELL
FISHMONGER
LICENSED DEALER IN GAME
WHITE HAR
THE ALLIANCE STORES
FISH. POULTRY. FRUIT. VEGETABLES
C. PRIEST
FISH. POULTRY. GAME. FRUIT. VEGETABLES

View of Westow Street with St Andrew's Presbyterian Church in the foreground, built in 1878. It is now a Greek Orthodox Church dedicated to St Constantine and St Helen.

Westow St. et, à l'arrière-plan, l'Eglise presbytérienne de St Andrew, construite en 1878. C'est aujourd'hui une église orthodoxe grecque consacrée à St. Constantin et Ste Hélène.

J. Chittell, fishmonger, and Spurgin's, butcher, at the beginning of the village shops in Westow Street. The main building to the right of Chittell's shop is the lodge to a mansion called "The Mount" which was enlarged to become the home of the Royal Normal College and Academy for the Blind in 1873-6. The architect for the lodge, built in 1880, was Sextus Dyball.

La poissonnerie J. Chittell et la boucherie Spurgin's, au début de la rangée de magasins de Westow Street. Le bâtiment principal, à droite de Chittell's est le pavillon d'une résidence, "le Mount", qui une fois agrandie devint le Collège Normal Royal et l'Académie Royale pour les Aveugles, en 1873-6. Sextus Dyball est l'architexte du pavillon, contruit en 1880.

Almost all the shops on the left hand side of this view of Westow Street have been demolished and replaced by a modern complex which includes the Salvation Army Citadel. The clock, including the ornate bracket, has been moved to the opposite side of the street and currently adorns the Foresters Hall, the old Law Courts.

Une vue de Westow Street. Presque tous les magasins sur la gauche ont été démolis et remplacés par des résidences modernes dont la Citadelle de l'Armée du Salut. L'orloge ainsi que le support orné ont été déplacés de l'autre côté de la rue et parent aujourd'hui le Hall des Forestiers, l'ancien Palais de justice.

The South tower looming above Westow Hill and Anerley Hill.

La tour Sud qui surplombe Westow Hill and Anerley Hill.

This is the main entrance to Crystal Palace. The photograph shows the modular cast-iron and glass construction of the building which enabled it to be transferred from its original site in Hyde Park to Sydenham and rebuilt in a remarkably short time. It can be regarded as one of the first examples of modern prefabricated building. Note the horsebus waiting at the entrance.

L'entrée principale de Crystal Palace. La photo illustre clairement la construction modulaire de fer forgé et de verre du bâtiment qui a permis son transfert de Hyde Park à Sydenham, et sa reconstruction agrandie dans un temps record. On peut le considérer comme le premier exemple de bâtiment préfabriqué moderne. A l'entrée, un bus tiré par des chevaux.

Crystal Palace looking East with the main transept of Crystal Palace on the right and the towers of the High Level Station on the left. This station was opened to traffic on the 1st of August 1865 by the London, Chatham and Dover Railway. The architect was Edward Middleton Barry, son of Sir Charles Barry, architect of the Palace of Westminster, the United Kingdom Houses of Parliament. Trains ran frequently to the City of London and the West End until the 19th September 1954. The station was finally demolished in 1961.

Vue Est, avec le transept principal de Crystal palace sur la droite et les tours de la gare, High Level Station, sur la gauche. Cette dernière fut ouverte au traffic le 1er août 1865 par la Compagnie des chemins de fer London–Chatham–Dover. Son architecte était Edward Middleton Barry, fils de Sir Charles Barry architecte de Westminster Palace, maisons du Parlement du Royaume-Uni. Il existait un service fréquent de trains vers la cité et le West End. La gare vit partir son dernier train le 19 septembre 1954 et fut finalement démolie en 1961.

Outside the station and opposite the main transept of Crystal Palace was a hansom cab rank conveniently situated by the exit for 1st class passengers. Beneath the road, also for 1st class passengers, was the vaulted subway built in 1865 by Italian cathedral masons giving direct access into Crystal Palace.

Sur le devant de la gare, en face du transept principal, se trouvait une station de fiacres judicieusement située à la sortie des passagers de première classe. Sous la route, un souterrain, construit en 1865 pas des constructeurs de cathédrales italiens, menant directement à Crystal Palace, leur était également destiné.

TO THE
BOOKING OFFICE
TRAINS

TO THE
BOOKING OFFICE

Zola was obviously standing in the road to take this photograph of the lady cycling towards Upper Norwood.

Zola, il est évident, se tenait sur la route lorsqu'il a photographié cette cycliste qui s'éloigne dans la direction de Upper Norwood.

Railway lines and goods yard of the High Level Station as seen from Crystal Palace Parade. Railway enthusiasts should note that two of the wagons belong to the Midland Railway and others were in private ownership. The engine is a Kirtley 0-4-4 T, London, Chatham and Dover Railway; it would have been painted green. The coaches are 6 wheel coaches and would have had a teak finish. The signal is a home signal with four arms, one for each platform.

Lignes de chemin de fer et cour de la gare High Level Station, vues de l'avenue de Crystal Palace Parade. Les fans du rail remarqueront que deux des wagons appartiennent à la Compagnie des Midlands et les autres à des entreprises privées. La locomotive est une Kirtley 0-4-4 T de la ligne London, Chatham et Dover; elle devait être de couleur verte. Les voitures sont des 6 roues et leur fini était en teak. Le signal est un quatre branches, à raison d'une branche par quai.

A pavement artist displays his colourful pictures on the parade outside the South Transept. Zola was much attracted by the painter's strong colours and always gave him a few coins. Another form of art is assisted by the photographer's dummy donkey on wheels which stands on the corner of the Parade with Anerley Hill.

Un artiste des rues et ses dessins colorés le long de la Parade, au niveau du transept Sud. Zola était très attiré par les couleurs vives de ce peintre et lui donnait toujours quelques pièces. Une autre forme d'art, l'âne factice sur roues du photographe, que l'on aperçoit au carrefour d'Anerley Hill et de la Parade.

Crystal Palace Parade looking West showing the roof of the High Level Station.

L'avenue de Crystal Palace Parade, direction Ouest, et le toit de la gare High Level Station.

Crystal Palace Parade meets the top of Sydenham Hill.

Le carrefour de Crystal Palace Parade et Sydenham Hill.

The crossing sweeper stands in the middle of the junction of Sydenham Hill and West (now Westwood) Hill. His purpose was to sweep a passage across the dirty road to clear it of dust, mud or snow, and the animal droppings caused by the large amount of horse drawn traffic to Crystal Palace. This was of particular importance to the long skirted Victorian ladies who would be expected to pay a small coin to him in return for his service.

Le balayeur du passage protégé au centre du carrefour de Sydenham Hill et de West Hill (appelé aujourd'hui Westwood Hill). Son travail consistait à enlever la poussière, la boue, la neige et les crottes des nombreux chevaux qui assuraient le transport jusqu'à Crystal Palace. Sa tâche était particulièrement importante pour les longues et amples robes des femmes victoriennes; ces dernières lui donnaient une petite pièce pour le remercier de ses services.

College Road was named after Alleyn's College of God's Gift in Dulwich and leads from Dulwich Village to Crystal Palace Parade. This unusual view of the main transept shows how Crystal Palace dominated every aspect. St. Stephen's Church College Road was built between 1867 and 1875 to designs by Banks and Barry with private subscriptions from wealthy local residents. The large house in front of the church is the former vicarage.

College Road tient son nom de Alleyn's College of God's Gift, de Dulwich. Cette rue s'étend de Dulwich Village à Crystal Palace Parade. Cette vue inhabituelle du transept principal montre à quel point le Palais dominait toute chose. L'église de St Stephen, dans College Road, fut construite entre 1867 et 1875 par Banks et Barry, grâce à une souscription privée auprès des résidents aisés. La grande maison devant l'église est l'ancien presbytère.

In this photograph Zola appears to have chosen almost the same viewpoint as did his compatriot, the French Impressionist, Camille Pissarro, some 28 years previously. Both would be surprised to see how little the scene has changed to-day.

Pour cette photo, Zola semble avoir choisi le même point de vue que son compatriote impressionniste, Camille Pissarro, 28 ans auparavant. Tous deux seraient fort surpris de constater combien cette scène a peu changé depuis.

'Sandwichmen' in College Road. Zola has noted that they were advertising baby food. This method of advertising was very popular. The name was derived from the fact that the men had a board in front and another at their back joined by straps over the shoulders so that the body became the centre of the "sandwich".

Hommes-sandwichs dans College Road. Zola a remarqué qu'ils faisaient de la publicité pour de la nourriture de bébé. Ce genre de publicité était très à la mode. Cette appellation vient du fait que les hommes portaient un panneau sur le devant et un dans le dos, joints par des courroies au-dessus des épaules de sorte que leurs corps devenaient le centre du 'sandwich'.

A line of haulage carts on the Parade awaiting unloading.

Une file de routiers prêts à décharger, le long de la Parade.

"Mizen Bros., Mitcham" flower cart.

La Charrette du marchand de fleurs "Mizen Bros., Mitcham"

The Palace Parade saw a variety of transport especially in connection with the many exhibitions held there. Horse buses regularly brought visitors. For special events, even animals were brought in, hence the flock of sheep in the picture. Horse drawn carriages and carts made use of this drinking trough.

Il y avait une variété de moyens de transport dans l'avenue de la Parade en raison des nombreuses expositions qui y étaient organisées, tel un service régulier d'omnibus pour les visiteurs. Lors d'évènements spéciaux, même des animaux y étaient apportés, ces moutons par exemple, et tous les moyens de transport hippomobiles utilisaient cet abreuvoir.

Cypress Road looking down towards Auckland Road. The road is steeply inclined and Emile Zola has captured the skill of the chivalrous young gentleman wheeling his lady friend's bicycle as well as his own.

Cypress Road, direction Auckland Road. La voie est particulièrement abrupte et Emile Zola a saisi la chevalerie du jeune homme qui mène avec adresse la bicyclette de son amie en même temps que la sienne.

This is probably a view of Grange Wood as seen from Wharncliffe Road.
Il s'agit probablement d'une vue de Grange Wood prise de Wharncliffe Road.

Wharncliffe Road as seen from the junction with Grange Road.
Wharncliffe Road, vue prise du carrefour avec Grange Road.

Houses in Auckland Road now numbered 64 to 58 (from left to right).

Maisons de Auckland Road, dont les numéros vont aujourd'hui de 64 à 58 (de gauche à droite).

A view from the top of Sylvan Hill, showing the wall which surrounds the All Saints old vicarage garden.

Vue du sommet de Sylvan Hill, mur d'enceinte du jardin du vieux presbytère de All Saints.

Road repairs on corner of Church Road and Sylvan Hill outside All Saints vicarage gates. Although the house remains, it has been converted for residential use.

Travaux au carrefour de Church Road et de Sylvan Hill, à la hauteur du portail du presbytère de All Saints. La maison existe toujours, transformée en habitat résidentiel.

SYLVAN HILL

Mme Zola at the first floor window of the Queens Hotel. She visited her husband between October 30th and December 5th 1898. A commemorative Blue Plaque has been affixed on the hotel wall by English Heritage and unveiled by Lord Montague of Beaulieu.

Mme Zola à la fenêtre du premier étage du Queens Hotel. Elle rendit visite à son mari entre le 30 octobre et le 5 décembre 1898. Une plaque commémorative bleue fut apposée sur le mur de l'hôtel par English Heritage et inaugurée par Lord Montague of Beaulieu.

Outside the Queens Hotel in Church Road. In 1898 the petrol driven car was still a novelty on the streets of London and suburbs.

Extérieur du Queens Hotel, Church Road. En 1898, l'automobile était encore une nouveauté dans les rues de Londres et de sa banlieue.

Cattle being driven along Church Road passing No. 197 the right hand one of a pair of "mirror image" houses.

Le bétail conduit le long de Church Street, passant devant le no. 197, l'une de deux maisons inversées, celle de droite.

Emile Zola catches the coalman making a delivery to the Queens Hotel.

Emile Zola saisit le charbonnier alors qu'il livrait le Queens Hotel.

Westow Street in 1899, showing E. Cullen and Sons, undertakers on the corner of Haynes Lane.

Westow Street en 1899, le service des pompes funèbres E. Cullen and Sons, au coin de Haynes Lane.

The fashion of 1899 is well displayed by the lady cyclist as she passes the former sorting office and general post office building in Westow Street. It is interesting to note the buildings in the picture have survived.

La cycliste qui passe devant l'ancien poste de triage et le bâtiment des postes de Westow Street, illustre la mode de 1899. Il est intéressant de souligner que les bâtiments de cette photo ont survécu.

Ladies cycling in Church Road passing the now demolished Norbury Lodge (at the corner of Fox Hill). It was the home of Dr Hetley, a local physician, and his wife, formerly Lady Braybrooke. They first met when she was staying with her children at the Queens Hotel and he was called to attend one of her children. Dr Hetley was in charge of investigating the scandal of over-crowding of internments in All Saints' churchyard.

Une cycliste devant Norbury Lodge, Church Road (au coin de Fox Hill), aujourd'hui démolie. C'était la résidence du Dr Hetley, un médecin du quartier, et de sa femme, autrefois Lady Braybrooke. Ils se sont rencontrés pour la première fois alors qu'elle était descendue au Queens Hotel avec ses enfants et que l'on fit appel au docteur pour l'un d'eux. Dr Hetley fut chargé des investigations concernant le scandale de la surpopulation du cimetière de All Saints.

EVERARD
CABLE

A street scene in Church Road by St Aubyn's Congregational Church built in 1857 and demolished in 1980.

Scène de rue dans Church Road près de l'Eglise congrégationaliste de Saint Aubyn, construite en 1857 et démolie en 1980.

Carriages passing the White Hart Hotel renamed O'Neills in 1996.

Voitures à la hauteur du White Hart Hotel, renommé O'Neills en 1996.

Marshall & Snelgrove delivery van with other horse-drawn delivery vehicles in Church Road. Marshall & Snelgrove, the famous high class London store in Oxford Street, originally established by James Marshall in 1839.

Véhicule de livraison de Marshall & Snelgrove avec d'autres attelages de livraison dans Church Road. Marshall & Snelgrove, le célèbre magasin haut de gamme, situé dans Oxford Street, fut à l'origine installé en 1839 par James Marshall.

Harold Road looking towards the Central Hill ridge. This residential road joins the two major ridges of Central and Beulah Hills. It has retained many of its original large detached houses and is now part of a conservation area. It must have been a very hot afternoon, the child is sheltering in the little bit of shade afforded by the fence.

Harold Road, direction crête de Central Hill. Cette rue résidentielle qui joint les deux principales crêtes, celles de Central Hill et de Beulah Hill, a conservé un grand nombre de ses importantes maisons individuelles originales et fait aujourd'hui partie d'un quartier classé. Ce devait être un après-midi très chaud car l'enfant s'habrite sous le peu d'ombre que lui procure la palissade.

Houses in Harold Road opposite what is now the Upper Norwood Recreation Ground which is the site of one of the sources of the river Effra. In the centre background can be seen the South tower of Crystal Palace.

Maisons de Harold Road, face à l'aire de jeux actuelle, où se situe l'une des sources de la rivière Effra. Au centre de l'arrière plan, on peut apercevoir la tour Sud de Crystal Palace.

The milk delivery cart which is owned by French's Dairy of Gipsy Hill. Mr French owned his own cows and supplied most of the houses in the district.

La charette de livraison du lait, propriété de la laiterie French de Gipsy Hill. M. French possédait ses propres troupeaux de vaches et fournissait du lait à la plupart des habitants du coin.

Hermitage Road is a link road between Beulah Hill and Central Hill. The river Effra flows through a culvert at its lowest point. The trees in the distance on the left are part of Convent Wood. The Convent of Virgo Fidelis was founded in 1846 and is a branch of the Orphanage of Our Lady at La Delivrande in Normandy.

Hermitage Road relie Beulah Hill et Central Hill. A son point le plus faible, la rivière Effra passe dans un caniveau. A l'arrière plan, sur la gauche, les arbres font partie de Convent Wood. Le couvent de Virgo Fidelis, fondé en 1846, est une branche de l'Orphelinat de Notre-Dame de La Délivrande, en Normandie.

Mme Zola in November 1898. She is seen near the bottom of Hermitage Road by one of the surviving oaks of the Great North Wood. The area was originally called the Great Stake Pit Coppice which according to local tradition provided the oaks to build Sir Francis Drake's ship, the Golden Hind.

Mme Zola en novembre 1898. Elle se tient au bout de Hermitage Road, près d'un des chênes survivants de Great North Wood. Autrefois, ce coin se nommait le Grand taillis mine de pieux, qui, selon la tradition locale, a fourni les chênes pour la construction du vaisseau de Sir Francis Drake, la Biche dorée.

View down Central Hill continuing up Crown Hill (now Crown Dale) towards Streatham. The buildings at the bottom of the hill are part of the House of Industry for the Infant Poor. Some of these buildings survive as flats.

Vue le long de Central Hill se poursuivant le long de Crown Hill (aujourd'hui Crown Dale) en direction de Streatham. Les bâtiments au bas de la côte font partie de la Maison de l'industrie pour Enfants pauvres. Ce sont aujourd'hui des appartements.

A view from the junction of Hermitage Road and Eversley Road looking across the field to Chevening Road and New Town (a walled housing estate). The North tower of Crystal Palace is barely visible on the left but the South tower stands proudly on the sky line.

Une vue prise du carrefour d'Hermitage Road et d'Eversley Road, en direction des champs de Chevening Road et de New Town (un lotissement entouré d'un mur). La tour Nord de Crystal Palace se décerne à peine sur la gauche alors que la tour Sud se dessine fièrement à l'horizon.

Emile Zola was clearly impressed by the impact of the Palace upon its surroundings whether from afar, or, as here, from nearby Woodland Hill.

Emile Zola fut sûrement impressionné par l'impacte du Palais sur son entourage aussi bien de loin que de près, comme ici, à côté de Woodland Hill.

View from Salters Hill near the site of the present St. Kitts Road, showing Sainsbury Road before the recent development. The road in the foreground leads to the railway goods yard. Gipsy Hill railway station is visible behind the goods yard. The whole scene is dominated by Crystal Palace. Please note, the gap between the main building and the North tower is the site of the original North transept which was destroyed by an earlier fire in 1866. The transept was never rebuilt because Crystal Palace was drastically under insured.

Vue de Salters Hill près de l'actuelle St Kitts Road, montrant Sainsbury Road avant les récentes transformations. La route, au premier plan, conduit à l'entrepôt de marchandises des chemins de fer. On aperçoit la gare de chemin de fer de Gipsy Hill derrière le dépôt de marchandises. Crystal Palace domine toute la scène. Il faut souligner que l'espace situé entre le bâtiment principal et la tour Nord est l'emplacement du transept Nord original qu'un premier feu détruisit en 1866. Il ne fut jamais reconstruit car Crystal Palace était assuré pour une trop faible somme.

The central transept of Crystal Palace forms a backdrop to Sainsbury Road. Lambeth Vestry's water cart is seen sprinkling the dusty road.

Le transept central de Crystal Palace forme un point de chute pour Sainsbury Road. La voiture d'arrosage de Lambeth Vestry asperge la route poussiéreuse.

Christ Church, Gipsy Hill, consecrated on June 8th 1867. Sadly, the original church apart from the tower was destroyed by fire in 1982. The unusual object on the left hand pavement is a water hydrant for refilling the Lambeth water cart (see previous page).

Christ Church, Gipsy Hill, consacrée le 8 juin 1867. A part la tour, l'église originale fut malheureusement détruite par le feu en 1982. L'objet insolite, sur le trottoir à gauche, est une prise d'eau pour faire le plein de la voiture d'arrosage de Lambeth (voir page précédente).

Gipsy Hill showing Christ Church in the distance and the original Police Station on the right with its characteristic blue lamp over the entrance. All the buildings on the right are still standing.

Gipsy Hill, avec Christ Church au loin et le poste de police original sur la droite avec sa caractéristique lampe bleue au-dessus de l'entrée. Tous les bâtiments sur la droite existent encore.

The grand houses in the Avenue (now called Dulwich Wood Avenue) overlook French's fields, one of the many pastures for Mr French's cows.

Les imposantes maisons de l'Avenue (appelée aujourd'hui Dulwich Wood Avenue) dominent la prairie de M. French, l'un des nombreux pâturages destinés à ses vaches.

Evening shadows across French's fields; behind the trees can be glimpsed the grand houses of the Avenue.

Tombée de la nuit sur les prairies de M. French; derrière les arbres se discernent les imposantes demeures de l'Avenue.

BRANCHES
EVERYWHERE.
N.H.C^{OY}
SAVE YOU
35
PER CENT
BRANCHES EVERYWHERE
NOTTINGHAM HOSIERY COMPY

N.H.C^{OY}
SAVE YOU
35
PER CENT
BRANCHES EVERYWHERE
OTTINGHAM HOSIERY COMPY
NOTTINGHAM HOSIERY COMPANY
SONS
OUTFITTERS,
MAKERS &
FRED BUTLER & SONS

It is thought that this picture depicts the members of the local constabulary returning from their beat to the old Police Station at the top of Gipsy Hill.

Cette photo, semble-t-il, montre des membres du poste de police local au sommet de Gipsy Hill, sur le chemin du retour après leur tournée d'inspection.

Nottingham Hosiery Company, a high class haberdashers on Westow Hill.

Nottingham Hosiery Company, une mercerie haut de gamme dans Westow Hill.

Shoppers and children along Westow Hill. Note the iron hoops which were a popular children's plaything at that time.

Acheteurs et enfants le long de Westow Hill. On y remarque les cerceaux de fer qui étaient alors un jeu d'enfants à la mode.

Jasper Road off Westow Hill is one of several roads which give a remarkable view over London.

Jasper Road, à l'angle de Westow Hill, est l'une des routes qui offrent une vue remarquable de Londres.

View of the southern end of Crystal Palace from outside the Cambridge Hotel. The horse drawn tanker carries "Finest Imperial Lamp Oil".

Vue de l'extrémité Sud de Crystal Palace, prise à l'extérieur du Cambridge Hotel. Le tanker tiré par les chevaux transporte "La meilleure huile pour lampes impériales".

Fine view of Crystal Palace on corner of Crystal Palace Parade and Anerley Hill. The men working up the telegraph poles were known as "outside linesmen".

Excellente vue de Crystal Palace au carrefour de Crystal Palace Parade et d'Anerley Hill. Les hommes qui travaillent sur les poteaux télégraphiques étaient connus sous le nom de "les hommes des lignes extérieures".

THE
WHITE
SWAN

ACKNOWLEDGEMENTS

Thank you Emile ZOLA for taking so many photographs of our home. Without them this book would not have been possible. The details of everyday life encapsulated in your photographs give us the insight into late Victorian life in Norwood, so reminiscent of your style of writing, one wonders what you would have said had you included Norwood in one of your novels.

We are indebted to Jean-Claude LE BLOND-ZOLA, Emile ZOLA's grandson, for lending the original prints to the Institut français in London. It was there that they were first seen by Brian BLOICE during an Exhibition arranged by Chantal MOREL, secretary of the Emile Zola Society (GB). In turn, Brian BLOICE organized a similar exhibition at the Queens Hotel, when a Blue Plaque was unveiled by LORD MONTAGUE OF BEAULIEU and English Heritage to commemorate Emile Zola's stay while in exile between 1898 and 1899.

The Norwood Society first met Chantal MOREL at the Queens Hotel and negotiations began through her with Jean-Claude LE BLOND-ZOLA and his daughter Martine LE BLOND-ZOLA who was present at the inauguration, for first copying the prints for historic record purposes and then publishing this album of Emile ZOLA's photographs of Norwood.

Chantal MOREL must also be thanked for her unfailing enthusiasm and continuous encouragements as well as for translating the English script. This book is in two languages, English and French and will be available in England and in France (at the Musée Emile Zola in Médan). It has been supported by the London Borough of Croydon with a grant to assist in its publication.

Thanks must be given to Robin HUGHES (our former Chairman) and Leo HELD (our Vice-President) for their work in obtaining the grant, as well as Sally MACDONALD (Principal Museum Officer) and her staff (in the Libraries, Museum and Arts Department), Adrienne BLOCH and Jess STEELE.

Our thanks also go to the many Norwood Society members for their hard work and co-operation in researching and preparing this album with especial mention of:

– Joan WARWICK (dec'd) (Vice-President) for her hard-work and co-operation with the captions right until the end. She was the widow of Alan Warwick, the author of "The Phoenix Suburb" and had a wealth of local history knowledge. She will be sorely missed.
– John WYER for assisting with the original researching of the captions.
– Last but not least, thanks to our PRINTER and his team.

Keith R. HOLDAWAY, Chairman of the Local History Group Sub-Committee, The Norwood Society.

REMERCIEMENTS

Merci Emile ZOLA pour toutes ces photographies de notre communauté. Sans elles, cet ouvrage n'aurait pas été possible. Les détails de la vie quotidienne que vous avez saisis dans vos photos nous donnent un aperçu de Norwood à la fin de l'époque victorienne; elles rappellent tant votre style de romancier que l'on se prend à imaginer ce que vous auriez pu écrire à son sujet si Norwood avait été inclu dans l'un de vos romans.

Notre dette envers Jean-Claude LE BLOND-ZOLA, petit-fils d'Emile ZOLA, est grande. C'est lui qui au départ prêta les impressions originales à l'Institut français de Londres où Brian BLOICE pût les admirer lors de l'exposition organisée par Chantal MOREL, secrétaire de la Société Emile Zola (GB). A son tour, Brian BLOICE monta une exposition similaire au Queens Hotel où une plaque bleue commémorative fut simultanément inaugurée par LORD MONTAGUE OF BEAULIEU et English Heritage dans le but de commémorer le séjour d'Emile ZOLA en exile, entre 1898-1899.

C'est au Queens Hotel que la Norwood Society prit contact avec Chantal MOREL et entreprit les premières négotiations avec Jean-Claude LE BLOND-ZOLA et sa fille, Martine LE BLOND-ZOLA (qui d'ailleurs assistait à l'inauguration), afin d'obtenir la permission d'une part de faire reproduire et de conserver, à des fins historiques, pour les archives locales, une copie des photographies de Norwood par Emile ZOLA, et d'autre part de publier cet album.

Nos remerciements s'adressent encore à Chantal MOREL pour son enthousiasme et ses encouragements permanents, ainsi que pour la traduction française des textes de ce livre qui sera une édition bilingue, vendue en Angleterre et en France (au Musée Emile Zola, à Médan). Merci aussi à la Municipalité de Croydon pour la bourse d'aide à la publication de cet album, qu'elle a bien voulu nous accorder.

Nous tenons bien sûr à remercier Robin HUGHES (notre ancien Administrateur) et Leo HELD (notre Vice-Président) pour leurs démarches et l'obtention de la bourse, Sally MACDONALD (Conservateur du musée) et son personnel (Département des bibliothèques, du musée et des arts), Adrienne BLOCH et Jess STEELE.

Nous n'oublions pas le travail assidu et la coopération des nombreux membres de la Norwood Society, qui ont participé aux recherches et travaux préparatoires à cette publication, et plus particulièrement:

– Feu Joan WARWICK (Vice-Président) qui oeuvra jusqu'à la fin sur les légendes des photographies. Veuve de Alan Warwick, auteur de "The Phoenix Suburb", ses connaissances en histoire locale étaient étonnantes. Elle sera très regrettée.
– John WYER qui participa aux recherches initiales des légendes.
– Finalement et pas les moindres, notre imprimeur et son équipe.

Keith R. HOLDAWAY, Administrateur du Sous-Comité d'histoire locale de la NORWOOD SOCIETY.

Index of Photos by Location